일격에
살라미스를…!!

역시
장거리
사격관제가
훌륭
하십니다!!
가토 소령님

CONTENTS

흥!!
뭘 봤던
거냐!!

가토가 먼저
아군한테
칼을 뽑았다

시마 중령님!!
농담이
심하십니다!!

델라즈
플리트에—…

그렇다면
중령님도…

앞으로는
같은
편이다!!

델라즈 각하께서
친히
부탁하셨거든

소령!!
앞으로는
많이
편해질 거야

넌
그 건담에
광이나
내 두라고

......

가토의
HLV를 놓친
아프리카
전투 이후

손상된 알비온은
우주로 가서
추격하기 전에

보수를 위해
중앙아시아
라싸 기지로
이동했다

이 라싸 기지는
일 년 전쟁 때
지온군 기지가
있던 장소래

격렬한
시가전이
있었다는
소문도
들었는데

알비온
보수에
며칠이나
걸릴까…

코우,
저기 봐!!

**육전형
짐 RGM-79
[G]다**

지금은 본격적인
연방 기지로
운용하기
시작했나봐

코우!!

건담 정비 상황 보고 올게!!

……

시내에 나가서 놀 만한 가게도 찾아보고…

나흘은 걸릴 거야. 그 동안 푹 쉬자고

요즘 어울리기 힘들다니까

쳇!!

페가수스
급인가…
별일이군

샌더스 중사님,
교대
시간입니다.
순찰 인계
하겠습니다

끄응

알았다

그렇
습니까…

궤도상에서
2호기 확보는
실패했군요

살라미스 2척을
꾕침시키고
행방을 감췄다고
한다

시냅스 대령!!
귀함에는
코웬 중장으로부터
2호기 추적 임무가
내려졌다

예!!

한시바삐
알비온의
수복 작업을
부탁드립니다

…
허나

그것과 별개로
이번 시제
MS 및 핵탄두
강탈에 대해

내일,
심의를
집행하겠다

밀러 소령!!
본 안건에 관한
정보부의
조사 결과를
사령부에
제출하도록

심의…
입니까?!

……

이미 작성해 놨습니다

보고서는 —…

니나!!

건담의 무중력 사양 환장을 당장 하면 안 돼?

무리야!!

달에 있는 AE 공장에서 조정해야 쓸 수 있어

20

계산은 이미 다 해봤는데

지금 상태로도 싸울 수 있어!!

위이이잉

짐 이하의 성능이야

나름대로 알고리즘 수치 계산을 하고 있거든!!

우라키 소위는
우주 추격전
대비에
열심인 것 같은데

괜찮겠어?
니나

아무리
계산해봤자
운동성능은
짐 이하야

맘대로
하게 둬

응?

그야
건담 파일럿은
우라키 소위로
정해졌으니까…

이대로 계속
파일럿을 맡겨도
되겠냐고!!

그게
아니라…

군인인 내가
할 말은 아니지만,
우라키 소위도
키스 소위도

원래는
시제기
파일럿이 될
예정이었어

그런데…
갑자기 실전에
투입돼서…

우주에 올라가면
전투가 더
격렬해질 거야

테스트
파일럿들한텐…

너무
힘들지
않을까

그건…

내가
정할 수 있는
일이 아냐…

간만에
바깥
세상이다

저벅

안 됩니다. 알비온 탑승자는

시설 밖으로 외출허가가 불가능합니다

뭐라고?

이쪽은 전투 치른 직후라 예민하거든!!

잘 알아듣게 설명해봐!!

베이트 중위님, 진정하세요

죄송합니다

뭐?! 그게 무슨 소리야!!

앙?!

이봐! 비켜

길 막지 말고!!

땅바닥에서
소꿉놀이나 하는
새끼들이
건방지게

우주군이
지상에서
까불지 말고

집에 가서
잠이나 자

우주에서
사선을
넘나든 적도
없는 놈은

좀 닥치고
있지 그래!!

24

맞는 말이야

흥!!
우주가
주전장이라고
착각하면서

영웅 행세
하는 거냐?

보여주긴 개뿔이!!

샌더스!! 너도 붙어!!

지상군 파일럿의 의지를 보여주라고

뭐요?

전 상관없는 일입니다

뭐 하는 거야…

몬시아 중위님…

잘 해보십쇼, 중위님

샌더스, 너!!

사문위원회 심의가 끝날 때까지, 귀함 승조원의 행동에 제한을 뒀다

심의 내용에 대해 말씀해 주십시오!! 피처 사령관님

책임 추궁에 관한 건이다

그럴 지도—

밀러의 보고서에는 그렇게 돼 있더군?

하지만 2호기를 되찾을 기회는 몇 번이나 있었다

사태의 예측은 불가능했습니다!!

지온 잔당은 주도면밀한 작전을 세워서 강탈했습니다

특히 주목한 건
추격부대 편성 때
1호기에
테스트 파일럿을…

그것도
사관학교를
막 나온 신병을
태운 점이다

그건…

……

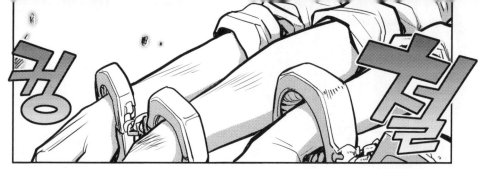

괜찮아? 아니…

……

그리운 얼굴이
떠오르는군

정직한
눈이다…

나도 많이
어설프네

아
아
야

그래게…
하
핫

바보
같다…

자네한테 말해야 공평할 것 같아서

잠깐 괜찮나? 우라키 소위

똑 똑

내일, 자네는 사문의원회에 불려가서 심의를 받을 거야

무슨 일이죠? 밀러 소령님

자네가 건담 파일럿에 적합한지에 대한

제가요?

무슨 심의입니까?

얼마나 위험한 존재인지를 조사했습니다

먼저 지온에 강탈당한 MS가 연방에게

RX-78 GP02 A

"PHYSALIS"

RX-78GP02A 건담 시제 2호기, 개발 시의 호칭은 '사이살리스'

전고 18,5m, 전비 중량 83t, 제네레이터 출력 1860W

MS로서의 성능도 높기는 하지만, 가장 큰 문제는 그 운용 능력입니다

핵탄두는 분명히 장전된 상태고

2호기에 장전한 것도 내 눈으로 확인했다

2호기와 함께 적에게 강탈 당했다고 분명히 말할 수 있다!

우오오옹

이잉

경비 체제는 만전이었다고 할 수 있습니까?

상정한 대로의 경비 상황이었다!!

그래도 빼앗긴 데는 오빌이 적을 유도한 것이 큰 요인이고

분명히 정보가 전부 새 나갔겠군요

강탈당한 2호기의 엔지니어가 적의 스파이!!

AE의 엔지니어 인가

오빌?

닉 오빌

폰 브라운 시 리버모어 공장에서 건담 2호기 개발 팀에 소속

지온 MS 기술자 출신으로, 능력을 인정받아 AE로 이적

NICK AUBIL

특히, 2호기는 지온의 기술이 많이 사용된 기체인 것 같고

MS 개발을 맡기고 있습니다

AE는 일 년 전쟁 종결 후에 지온의 기술자를 대량으로 고용해서

AE
ANAHEIMU ELECTRONICS

2호기는 마치
지온 잔당을 위해
준비한 MS 같군요

시냅스
함장님

......

'2호기 강탈'에
관해서는
스파이 문제도
포함해서

AE사에
정식으로
항의를
하겠죠

그러니
이 자리에서
심의할 일은
적에게 강탈당한
2호기를…

어째서
…

탈환 또는
파괴하지
못했는지에
대해서입니다

앉아서 대답해도 된다!!

10월 13일 21:00──···

예!

우라키 소위와 키스 소위 2명은 강탈범과 접촉했다고 하던데

알아차리지 못했지?

왜 그 시점에서 그 자가 잠입한 지온 병사라는 걸

연방 장교 군복을 입고 있어서···

척

......

똑

벅

우라키
소위…

코우!!

강탈범과 이야기 한 인상을 말해주겠나?

우라키 소위!!

아, 예!!

가토는….

……

'솔로몬의 악몽'—…

아나벨 가토…

웅성

웅성

가토!!

48

마치… 건담의 정규 파일럿 같았습니다

나도 저런 파일럿이 되고싶다

그런 생각이 들었습니다…

그래서?
2호기 강탈을
알게 된 뒤에
소위가 한 행동을
말해주게

정직한 의견
고맙다

웃기지도
않는군!!

적을 보고
무슨 생각을
한 건지

1호기에
탔습니다

2호기를
되찾기
위해서

49

흥...

그건…!!

1호기가
탄약 보급
중이었기
때문입니다!!

정비
스태프의
제지를
무시하고

말이지?

그럼 부대장인 버닝 대위에게 묻겠는데

예

도망친 2호기 추격 임무가 내려왔을 때

왜 1호기를 우라키 소위한테 맡겼지?

시급한 상황이었고

우라키가 적절한 인재라고 판단했기 때문입니다

그렇게 생각한 이유를 말해봐!!

......

이 실전 경험도 없는

신참 파일럿이 적절해?!

니나?

……

건담의 시스템
엔지니어로서

참고 의견을
제시해
주겠나

저…

54

실전경험이
부족한…
우라키
소위를

타당하지
않다고…
봅니다

이대로
건담에
태우는 건…

몬시아
중위 같은 분께
맡기는 쪽이…

경험이 많은
파일럿…
예를 들어

그러
니까…

니나!!

떨걱

벌떡

쿵!

나보고
건담에서
내리라는
거야?!

역시
니나 씨야!!

뭘 좀 아네!!
이런 신참은
불안하시겠지

건담이 아니면 안 된다고!!

가토를 막으려면 건담이 필요해!!

......

미안해요

니나!!

건담의 실전 기동 데이터도 제시해달라고 할랬더니

이래서 민간인 옵서버는 도움이 안 된다니까!!

뭐야…

왠지
코우만 물고
늘어지는 것
같은데요?

우라키를
희생양으로
삼으려는 거야!!

작전 실패에는
다른 요인도
있습니다!!

저
벅

킴벌라이트의
적 기지 강습 때도,
그렇게 멀지도 않은
연방군 킬리만자로
기지에서

그만해,
대위!!

증원 부대가
하나도
출격하지 않은
이유는 뭡니까?!

군에도
파벌이
있다…

군 상층부에
코웬 중장님의
건담 개발 계획을
달가워하지
않는 분도

다수
계시다는
얘기지…

한마디로…
저희가

작전에 실패하길
바랐다고?

지온 잔당을
괜히 자극해서
자브로에
핵이 떨어지는
것보다는

밀러 소령!!
억측으로
말하지 말게!!

오히려
우주로
보내는 쪽이
안심할 수 있다…

여기는
심의하는
자리야!!

그런
생각이겠지

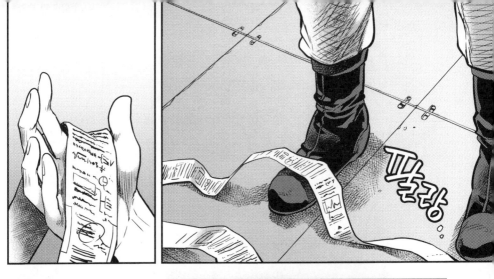

파르랑.

내가...

꺄아아아앙

꺄아아앙

꺄앙

아나벨 가토를
쓰러트릴 거야
——···

허억

허억

허억

내가···
건담으로
——···

니나!!

라싸 기지 내부, 바 라운지

아까 그건 대체 뭐야?!

우라키 소위의 파일럿 데이터 수치가 누구보다 뛰어나다고

그렇게 좋아 했으면서!!

내가…?

무슨 소리야?

몰라…

네가 한 말이 머리에서 계속 맴돌아…

우라키 소위를 건담 파일럿으로 인정하면

가혹한 전쟁으로 보내게 된다는, 그 얘기…

따랑

MOBILE SUIT
GUNDAM
0083
REBELLION

MOBILE SUIT
GUNDAM
0083
REBELLION

ㅋ ㅋ ㅋ

ㅋ ㅋ

ㅋ

......

통신을···

따악

콜로니
잔해로
오인했어

시마···

미안하군
'벨균트'

중앙아시아 라싸 기지

······

게다가…
작전 실패 책임까지
뒤집어쓸 수도 있고

당신,
이대로 가면
건담에서
내리게 돼

타냐
중위님…

니나가
파일럿 자격이
없다고
해서인가요?

알고 있으면
내일 심문까지
설득해보라고

잠깐 밖에 나가도 안 들켜

누가 감시하는 것도 아니니까

설득…?

하지만…

지금 그 사람은…

기지의 바라운지에 있어

탁

……

가겠
습니다!!

귀찮게
하기는…

니나…

무슨
말이야?

네가 몰라서
그래!!

우라키 소위를 지키고 싶다면…

오히려 네가 정비한 건담으로

전장에 보내야 하지 않겠어!!

내가, 보낸다고…?!

응?

화끈한 놈으로 부탁해

바텐더, 술!!

여자들끼리 마시면 쓸쓸할 텐데

이쪽 금발 아가씨한테 한 말인데

미안하지만, 괜찮아

같이 마셔줄게

니나!!

코우?!

너…

어제
그 우주군
파일럿!!

헉

헉

첸

귀찮은
새끼네!!

어제
하던 거
계속 할까?

어?

장교님들,
또 싸우시려고요?

……

샌더스
중사!!

억!!

코우…

슈욱

82

약속
할게!!

더 잘 조종해서
2호기를
되찾겠어!!

동귀어진해서라도
아나벨 가토를
쓰러트리고!!

......

안 돼…

니나!!

동귀어진 같은
소리는…

하면
안 돼!!

니나…

전부 여기서
시작됐네…

'솔로몬의 악몽'
…아나벨 가토

그때 나는
얼핏 봤을
뿐이지만

무슨
소리야

음…

군인
같다고
할까?

어떤
느낌이었어?

코우는
직접 얘기도
했었지

LEVEL-Ⅲ SECRET

가토하고
한 교신만
레벨3 기밀
취급이네

미안,
못 보겠어…

그냥 달에서
알았던
사람이야

아…

응…

……

니나가 아는
가토는,
친구야?

아, 스로틀을
그렇게
난폭하게
다루면 안 돼!!

흐음

소위에 의한
건담의 기동
데이터는

이것은
건담의
성능을

모든 항목에서
애너하임의
테스트 트라이얼
수치를
웃돕니다

최대한 끌어낸
결과라고
판단됩니다

…그렇다는
군요

즉…

우라키 소위에게
건담에 탈
자격이 있다…

음…

또한!!
알비온 부대에는
추후 자브로에서
새로운 임무를
통고한다

귀함에서
대기하도록

좋다!!
2호기 탈환
임무의 책임
추궁은

불문에
부치겠다

이상이다!!

밀러 소령은
여기서
내린다는 건가

아쉽지만…
조사 임무가
끝났습니다

다시 한 번 잘 부탁드립니다. 시냅스 함장님!!

단, 2호기가 지온 수중에 있는 동안은

기술 감시관 타냐 중위를 남겨두겠습니다

함장님!!

자브로에서 온 전령이 브리지로 들어옵니다

정보부의 감시는 계속 붙는 건가…

자브로에서 코웬 중장님의 명령을 전하러 왔습니다

레이첼 밀스틴 중위입니다

역시 우주인가…

궤도상에서 호위함과 합류한 뒤에 탈취당한 2호기 수색을 개시하여 임무를 달성하라

알비온 부대는 금일 18:00에 라싸 기지에서 출발

이상입니다. 자세한 정보는 추후에 전하겠습니다

우라키 소위

난 자네한테 기대하고 있다

예?

그리고
가토를
쓰러트려라!!

적을
증오해!!

쉬

웅

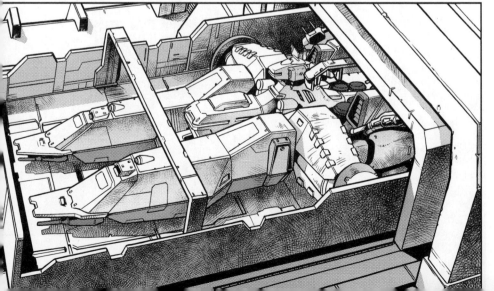

MOBILE SUIT
GUNDAM
0083
REBELLION

MOBILE SUIT
GUNDAM
0083
REBELLION

제27화 「공간 전투」

지금
돌아왔습
니다!!

가토
소령

그런데 이곳에 입항할 때

거친 환영을 받았습니다

허나!!

있으면 반대했겠지

네가 없을 때 시마를 들인 것은 미안하다

시마 가라하우 중령 말인가…

아니!! 설령 백전백승의 무사라 해도

이 우주에 빛을 가져올 자는 아닙니다!!

그 시커먼 속을…

예!! 각하도 카라마 포인트에서 보시지 않았습니까!!

영광스런 지온에
칼을 들이댈
자입니다!!

장래에
반드시!!

맑은 물과도
같구나

후후…
언제 들어도
네 말은

가토여!!
아 바오아 쿠를
기억하는가

그게 아니다.
그날 너는
지온의 재흥을 위해
다시 태어났다!!

어찌 잊겠습니까.
각하께서
이 목숨을
거둬주셨습니다

그 '마음'이
'대의'다!!

타
앙

대의를
이루려는 자가

작은 일에
집착해선
안 된다!!

'별가루
작전'의
성공을
위해서는

네가
탈취한
건담과

충실한
함대 전력이
필요하다!!

가토여!!

넓게
보거라!!

각하…

108

시마는 내가 이끌겠다!!

너는 걱정 말고 대의를 향해 가라

마음이… 씻겼습니다

예!!

자꾸
헛소리
하면

달에…
콜로니를
떨어트리겠어

흥

너구리
새끼…

그럼!!
나중에
또

말씀하신
무기와 탄약은
준비하겠습니다

농담도…

111

시마 님!!
지구 궤도상에
함을 확인!!!

그…?

그 함인 것
같습니다

아!
가토를 쫓는
알비온인가 하는
하얀 함인가!!

보급 중인가…

아니면 증원 대기려나

함 반응 1!!

아니!! 소형정 같은 반응도 있습니다!!

……

저희가 암초 해역에만 있으면 들키진 않습니다

그냥 보낼까요?

덮치실 겁니까?

아까운 먹이 아닌가, 코셀!!

보내기엔…

1호기를
달의 AE 공장으로
보내는 겁니까?!

중력하 사양이면
전력으로 쓸 수가
없으니까

2호기 탈환
임무를 맡은
우리한테는

달에 들릴
시간적 여유가
없다

그래서
1호기를…

버닝 대위,
자네 생각은
어떤가?

달로
보낼지가
문제인데

파일럿인
우라키 소위를
1호기와 함께

예

......

좋다.
그럼 1호기
반출 작업을
진행하게

제 짐 커스텀이
있으니,
그걸 맡기겠습니다

우라키는
알비온에
두겠습니다

1시간 뒤에
증원부대와 합류하고,
알비온은 2호기
탈환 임무를
개시한다

건담을 수송정에 옮기는 것 좀 도와줘!!

우라키 소위!!

알겠습니다

......

코우!!

뭐?

뭐라고 한 마디 해주라고

자, 니나!! 며칠 동안 못 보잖아!!

코우

니나!!

그것
보다…
라니

부품 환장을
꼭 해야
하는 거야?

그것보다

코우
당분간
못 만나게
되는데…

이걸로
밸런서를 보정하면
충분히 괜찮을 거야!!

내 나름대로
계산해봤어!!

니나가
고집불통이라
그래!!

자아도취도
적당히
하라고!!

싸우면
어쩌자는 거야
니나…

내
계산이면
…

……

아무리
계산해봤자
성능은
짐만도 못해!!

118

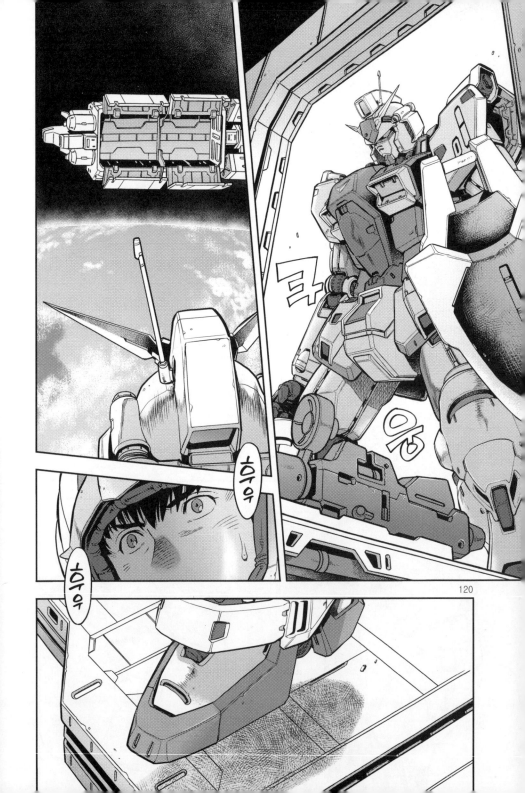

120

함장님!!

적 MS
반응!!

MS 5기
급속
접근…!!

뭐라고…?!

제1종
전투
배치!!

MS부대!!
접촉합니다!!

알겠
습니다!!

키스!!
넌 알비온
호위다!!

우라키는
내 짐으로…

뭐라고?!!

시간이
없습니다!!
이대로 건담으로
갑니다!!

제28화 「상처를 입고」

코우!!

니나!!
어쩌려고?!

정말이지!!
귀찮게 하지
말라고

타냐
중위?!

건담을
회수하러
갈 거지?

예

저희는
전투에
가담하면
안 되는데…

병기 만드는
주제에
할 소린가

그럼
내가 조종해도
될까?

전투
얘기는
못 들었다고요

니나한테
사과도
하고…

정말이지,
넌…

밸런서를
중심으로 다시
계산해야지…

건담을
회수할 테니까
엄호해!!

키스 소위!!
우라키 소위는
무사하지?!

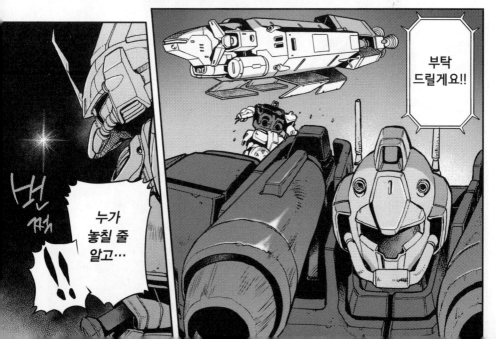

부탁
드릴게요!!

번
쩍
!!

누가
놓칠 줄
알고…

암 고정
완료

비켜…

해치를
강제로
해제합니다!!

코우…

코우!!

코우!!

쫄지 마라
몬시아!!

버닝
대위님
?!

우리도
물러난다!!

그래!!
이제 나도
복귀한다

다리는
괜찮습니까?

'불사신
제4소대'
부활이군요

나도 늙었다.
너무 기대하지
마라

대위님만
믿습니다!!

저기…
저도
한 팀이죠

그나저나
우라키는
어디 갔어?

니들 신참은
쪽수에
안 들어가

코우는…

달에
갔습니다

달?!

그게
아니고
전투 중에
어쩌다
그렇게 됐어요

덕분에
다친
대위님까지

망할 자식!!
혼자 휴가
간 거냐!!

돌아오면
대가를
치르게
해줘야지

현장에
나오게
됐잖아!!

풋 페달은
+2로
조정해주게

예!!

......

함장님!!

살라미스급
'유이린'과
'내슈빌'
합류합니다

음!!

PEATER SCOTT

부탁하네!!
시냅스
대령!!

반드시…

코웬
중장님!!

AR SINAPUS

뚜
뚝

사막에 던진
돌을 찾는
꼴이군…

……

구 사이드5 '암초주역'

따분해서
죽겠다

이 포인트도
적의 흔적이
없네요

잠복 예상 포인트만 해도 100개가 넘으니까요

이 넓은 공간을 샅샅이 뒤지라는 게 말이나 되냐고

벌써… 사흘이나 이 꼴이죠

젠장!! 우주인 새끼들!! 빨리 덤비란 말이야!!

……

코우가 달에 간 지도 벌써 사흘…

그 녀석… 뭐 하고 있을까…

덜컹

덜컹

악!!!

파

빠

키스!

빠 빠 빠!!

으아아악!!

몬시아 소대.
잔당과 접촉!!

겨우
적의 꼬리를
잡았나!!

함대!!

종렬 대형으로
암초주역에
돌입!!

쿠우

열원
이라고?!

거리
2천!!

함장님!!

우현 4시,
열원
탐지!!

제29화 「FB(풀 버니언)」

모든 함으로 사냥감을 포위해!!

예!!

MS 부대로 숨통을 끊는다!!

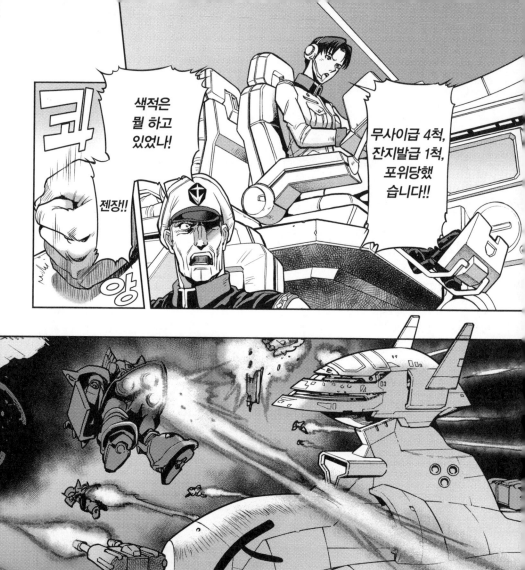

색적은 뭘 하고 있었나!

젠장!!

무사이급 4척, 잔지발급 1척, 포위당했습니다!!

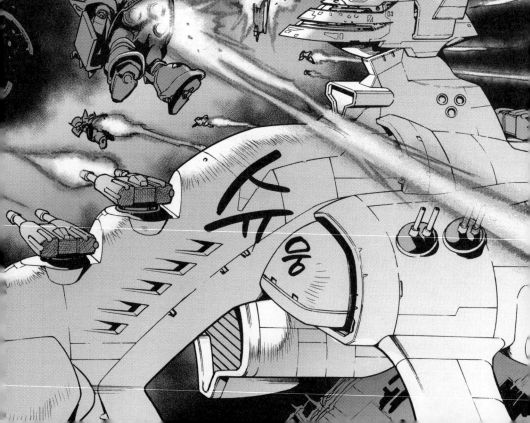

흥이
나셨나보군요,
시마 님

반드시
해치운다

오늘만은
화끈하게 해도
된다는
델라즈 각하의
분부가 있었다

하긴,
너도 나랑
오래 됐으니까!!

흥!!
잘도
아는데?

시마 님의
겔구그를
준비해라!!

뒷일은
맡긴다,
코셀!!

마
자
자
자
자

내슈빌,
MS소대
출격!!

맡겨
두십시오!!
함장님

버닝
대위!!

적 MS의
접근을
막아!!

붕
웅

준비해온
부스터 베드면
30분만에
갈 수 있어!!

저쪽은
전투 중인데

하지만…

지금 안 가면
돌이킬 수
없게 됩니다

가겠
습니다!!

전 건담을
신뢰합니다

전투는
기체에 더
익숙해진 뒤에…

잠깐만,
코우!!

괜찮아,
니나…

니나!!
이 친구는
군인이야!!

그냥뒤!!

174

무리는
하지 마,
코우…!!

아!!
시마 님

답답하네!!
아직도 함에
도달하지
못했나!!

남은 건
페가수스급!!

아주 잘난
엘리트
귀공자들이

잔뜩
타고
있겠지

179

빛?

응?

왜?

저것도
건담용으로 만든
무기잖아

저건 밸런스를
크게 망치는
장비라서

안 돼

그런데

왜 저 라이플을
직접 1호기에
장비하지 않았어?

굳이
부스터 베드에
달아놓고

건담
0호기…?!

건담
0호기용
장비야

저건
다른
개발자가
만든…

건담용
이기는
해도…

185

0호기는 결국
개발 설계 자체가
취소된 기체야

다기능을 중시하다가
조종자의 부담이
너무 커져서…

RX-78 BLOSSOM

이상적인
MS를 만들고
싶어서…

저…
저는 그냥
순수하게…

한마디로

0호기의
설계 미스를 지적하고,
니나가 개발 계획을
가로챘다는 거야?

미안…
말이
심했어

아니라…

가로챈
게…

우라키?!

달에서
돌아왔나!!

그렇다면
저게
공간전투용으로
환장한…

186

GP-01
'FB(풀 버니언)'

큭!!

이런 때…
나중에 해!!

우라키의
건담이
돌아왔다고!!

어라…?
아닙니다!!
이건…

함장님!!
자브로에서
입전!!

MOBILE SUIT
GUNDAM
0083
REBELLION

기동전사 건담 0083 REBELLION ⑥

2018년 2월 28일 초판 1쇄 발행

만화 나츠모토 마사토
원작 토미노 요시유키 · 야타테 하지메
협력 선라이즈

펴낸이 원종우
펴낸곳 길찾기
주소 (13814) 경기도 과천시 뒷골1로 6, 3층
전화 02 3667 2653~4   팩스 02 3667 2655   메일 edit01@imageframe.kr   웹 http://imageframe.kr

ISBN 979-11-6085-373-5 07830 (6권)
가격 8,000원

MOBILE SUIT GUNDAM 0083 REBELLION 6